P9-DDU-131

Coordinación de la colección: Mariana Mendía
Cuidado de la edición: Carla Hinojosa Guerrero
Coordinación de diseño: Javier Morales Soto
Diagramación: Gabriela Sánchez Valle

Trompa con trompita

Texto D.R.© 2018, Jorge Luján
Ilustración D.R.© 2018, Mandana Sadat

Primera edición: mayo de 2018
D.R.© 2018, Ediciones Castillo, S.A. de C.V.
Castillo® es una marca registrada.

Insurgentes Sur 1886, Florida,
Álvaro Obregón,
C.P. 01030, Ciudad de México, México.

Ediciones Castillo forma parte del Grupo Macmillan.

www.edicionescastillo.com
Lada sin costo: 01 800 536 1777

Miembro de la Cámara Nacional de la Industria Editorial Mexicana.
Registro núm. 3304

ISBN: 978-607-540-033-4

Impreso en México / *Printed in Mexico*

Jorge Luján • Mandana Sadat

Trompa con trompita

CASTILLO DE LA LECTURA

Nariz con nariz la foca
no se despega de su cría,
eso es más que suficiente
para abrigarla sin cobija.

Montado sobre una osa
duerme feliz un osezno,
sus hermanas dan dos brincos
y se asoman a su sueño.

Si me miro en tus ojos
me veo pequeñito.
Ya sé por qué me llamas
Mi buhí... mi buhíto.

En las patas de su madre
un tigrillo ruge fuerte,
mas los dientes de su hocico
dan mordiscos de juguete.

Una mona se ha colgado
de una rama, sobre un pozo;
sus changuitos se estremecen
y le tapan los dos ojos.

Su lomo es una ola
que se eleva y se achica.
Cuando lame a sus crías:
¿las limpia o bien las pinta?

¡Quién tuviera bolsillo
sin tener pantalón
para llevar a sus cachorros
de paseo bajo el sol!

Con su pico la cigüeña
ofrece algo al cigoñino,
pero él mira hacia otro lado:
¡le hacen cosquillas los bichos!

Los corderos llevan suéter
para olvidarse del frío.
Orgullosa está la oveja:
sabe quién los ha tejido.

Cucurrucucú... entona
la poloma tornasol.
Rucurrucucú... repite
como puede su pichón.

Cuando atardece en la sabana
y la elefanta barrita,
su pequeño regresa al trote
y enreda trompa
            con
               trompita.

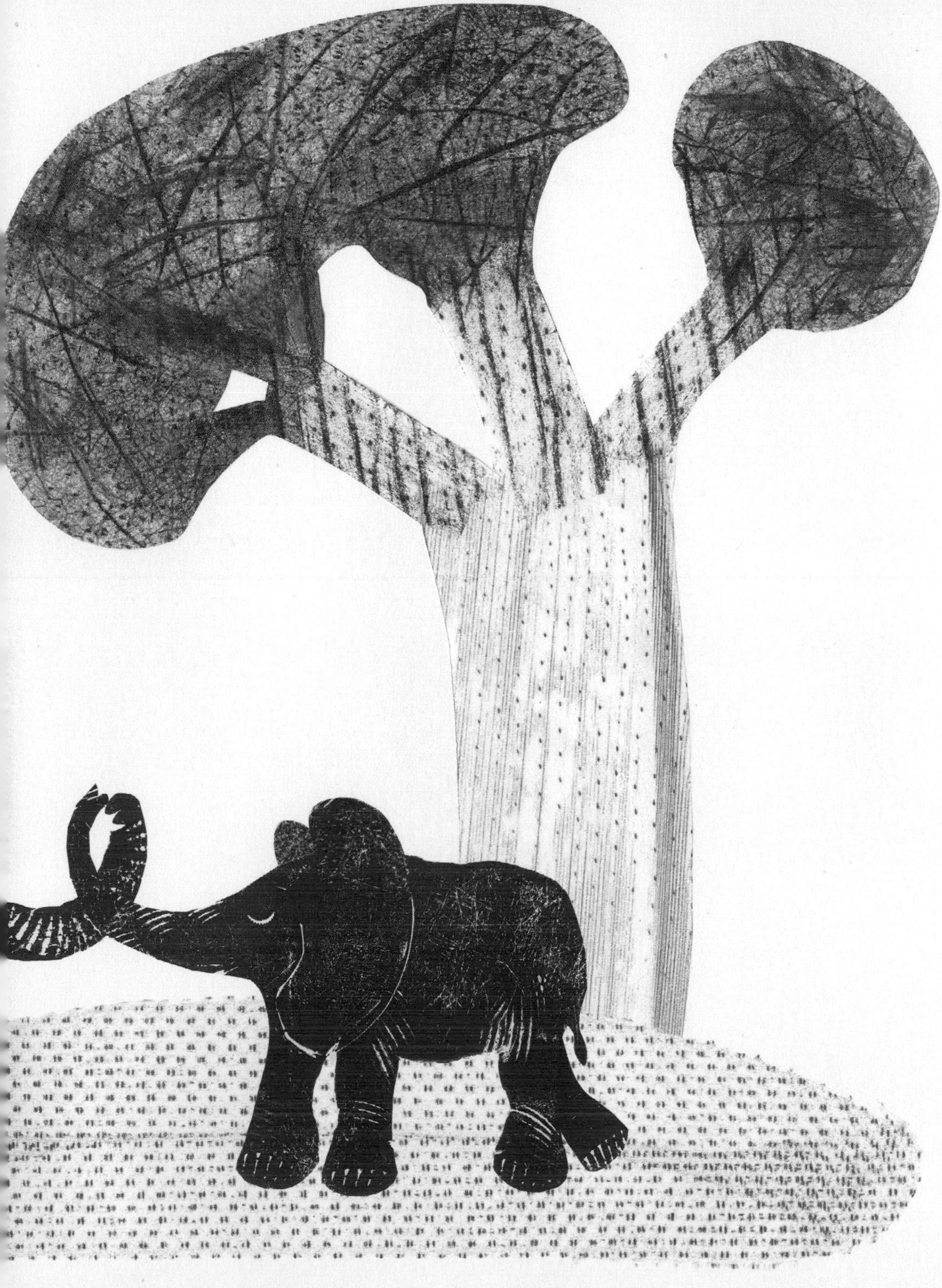

Impreso en los talleres de
Editorial Impresora Apolo, S. A. de C. V.
Centeno 150-6, Granjas Esmeralda,
Iztapalapa, C. P. 09810, Ciudad de México, México.
Mayo de 2018.